BDSM Vänner

Komplett Serie

Erika Sanders

BDSM Vänner
Komplett Serie
Erika Sanders

Erotisk Dominans och Underkastelse

Synop

Erika föreslår att gå ett steg längre i sin relation med sin bästa sexiga dominerande manliga vän...

BDSM Vänner är en roman med ett starkt BDSM erotiskt innehåll och i sin tur en ny roman som tillhör samlingen **Erotisk Dominans och Underkastelse**, en serie romaner med ett högt romantiskt och erotiskt BDSM-innehåll.

(Alla karaktärer är 18 år eller äldre)

Anmärkning om författare:

Erika Sanders är en internationellt känd författare, översatt till mer än tjugo språk, som signerar sina mest erotiska skrifter, bort från sin vanliga prosa, med sitt flicknamn.

Index:

BDSM VÄNNER
KOMPLETT SERIE
ERIKA SANDERS

DEL 1

Det hade varit en dag precis som alla andra dagar.

Förutom att det inte var det. Idag var speciell. Idag var dagen då min bästa vän Richard skulle vara på campus i New York för att ta en av sina juristutbildningar. Precis som alla andra gånger han kom över till min sida av Hudsonfloden, smsade han mig så småningom för att äta middag med honom. Ge det en halvtimme eller så för att avsluta testet så skulle hans inbjudan dyka upp på min telefon.

Jag körde mina fingrar över mina lår och lät dem bli så höga som kanten på min klippta buske innan jag gick ner igen. Bara lite retas för att värma mig. Jag behövde det inte, inte efter alla kantar och retande jag gjort mot mig själv den senaste veckan. Min fitta hade läckt nästan konstant och mina bröstvårtor hade inte varit mjuka på evigheter. Ändå behövde jag göra mig så varm som möjligt innan jag åkte ikväll. Min plan var att vara så kåt att lusten överröstade min rädsla för avslag när jag äntligen försökte bryta mig ur vänzonen.

Jag är normalt inte så här töntig. Jag är faktiskt riktigt självsäker och fräckt flirtig runt alla andra i världen. Men det är kanske bara likgiltighetens frihet. Jag bryr mig inte mycket om vad en snabb släng tycker om mig så länge de får mig av. Richard... han är annorlunda. Jag ville mycket mer än bara en snabb jävla ur honom. Jag ville att han skulle känna för mig vad jag kände för honom. Och även om han aldrig har visat mig något annat än positivitet och respekt, har han heller aldrig försökt gå förbi att bara vara vänner. Och han är den typen av man som agerar efter vad han vill.

"Kanske är det därför han aldrig har gjort något åt mig", tänkte jag för mig själv och tittade över min oförskämt utbredda kropp. 'Jag är mer kille än tjej. Jag är stökig och kliar mig offentligt. Jag klär mig för komfort och hatar att bära smink. Jag tillbringar all min lediga tid på gymmet, spelar tv-spel eller pysslar med porr. Det är de definierande egenskaperna hos manlighet, eller hur? Åh ja, och jag har blivit vän med min bästa vän. Det är inte meningen att tjejer ska skickas till vänzonen av sina manliga vänner, eller hur? Jag är ganska säker på att det ska vara tvärtom.

Jag har inte den mest kvinnliga timglaskroppen. Vid 5'11" hade jag varit lite längre än de flesta killar som jag utan framgång dejtat. En livslång kärlek till basket och att känna mig vältränad hade gjort mina muskler något bättre definierade än de flesta kvinnor tillåter sig att få. Perfekt form för att förföra sina lagkamrater... men långt ifrån de känsliga skönheterna Richard hade dejtat genom åren.

Om det gick dåligt så var det inte precis som att jag hade en sval social krets att falla tillbaka på...

'Sluta med det där! Sluta vara en sådan nederlag. Det var därför jag äntligen hade kommit på den här planen, att stänga av den negativa delen av mig själv. Jag tog upp händerna mot mina bröst. Jag känner mig jävla okvinnlig, mina bröst är jävla häftiga. Deras C-cup bulk fyllde mina händer helt med behagligt feminin vikt. Visst, deras storlek stod ibland i vägen för min aktiva livsstil, men nöjet de gav mig mer än kompenserade för det. Att dra handflatorna lätt över mina bröstvårtor fick mig att rysa och andas tyngre. Jag försökte hålla mina smekningar mjuka och retsamma, men snart fann jag mig själv med att trycka fram bröstet och klämma mina bröstvårtor så hårt jag kunde stå. Snart dags för huvudevenemanget.

Min externa hårddisk borde nog ha hamnat på listan över anledningar till varför jag i grunden är kille. Det är inte många kvinnor jag har träffat som har laddat ner porr till ett värde av 226 spelningar. Återigen, det var inte mitt fel. Det var allt Richard gjorde, och det visade exakt varför vår vänskap aldrig hade varit vad man skulle kunna kalla typiskt platonisk. Även sju år senare fick minnet av att träffa honom och vår tidiga bindning mig fortfarande att le. Det var så typiskt Richard... självsäker utan att vara full av sig själv, fast utan att vara slitande, hans magnetism hade attraherat mig så lätt.

Jag var inte så bra på att skaffa vänner på gymnasiet. Det var svårt att hitta en grupp att acceptera mig. Spelarens klick verkade inte veta hur man skulle hantera någon med bröst som ville spela League of Legends med dem. De manliga jockarna skulle aldrig spela full fart med eller mot mig, även om jag var lika stor eller större än de flesta av dem. Och, naturligtvis, jag hade hellre öppnat en ådra än att göra vad som krävdes för att passa in i de grundläggande tikarna i den vanliga feminina gymnasiekulturen.

Inte för att jag var en kvinnlig ensamvarg på något sätt. Jag hade vänner, men de kändes mer som nischade rollspelare än personliga kontakter. Till exempel, Heather och jag kliade varandras tv-spelslåda, men vi var båda för introverta och besvärliga för att komma väldigt nära. Jag var med i flickornas basketlag , men hade problem med att knyta an till någon av mina kvinnliga lagkamrater 1-mot-1 utan låtsas att träna. Lång historia kort, jag kände mig aldrig riktigt accepterad för att vara mer än bara en del av mig. Jag blev väldigt van vid mitt eget företag och jag utvecklade en taggig cynisk personlighet som stötte bort många människor.

Tills en dag på sista året då jag slumpmässigt tilldelades Richard som partner för ett samhällskunskapsprojekt om hur de senaste teknikförändringarna har påverkat långvariga traditioner, organisationer eller industrier.

Jag hatade gruppprojekt. Alla hatar gruppprojekt. De enda som gillar dem är själlösa extroverta som är avsedda att gå och jobba på en HR-avdelning någonstans. Naturligtvis är det enda värre än ett gruppprojekt ett med någon populär. Speciellt när det är en populär och het pojke. Alla populära människor jag någonsin varit runt hade varit upprörande självbelåtna och nedlåtande. Lägg till det svartsjuka blickarna från alla andra tjejer så blev jag allvarligt irriterad.

Vi fick de sista minuterna av lektionen för att konferera med våra partners.

Richard var seriöst populär. Han hade rykte om sig att vara hemma i nästan vilken grupp som helst. Och han var också allvarligt het. Han klädde sig bara något bättre än gymnasiet krävde och var en tum eller två längre än mig. Jag såg honom gå över rummet till mitt skrivbord, slagen av hur hans korta mörka hår verkade konturera hans ansikte bara för att accentuera hans käklinje tydligt. Det fick hans leende att verka väldigt genuint och varmt, som om han bjöd in dig att delta i ett skämt som bara du och han visste.

"Vad ser du så glad ut över?" frågade jag när han kom till min plats. Som jag sa, taggig personlighet.

"Jag har väntat på en sådan här möjlighet! Det här projektet är perfekt." Jag rysade och tyckte att det var en riktigt konstig pickup-linje. Bara en annan kille som försöker komma i mina byxor.

"Förlåt, men du måste göra bättre än så."

" Åh kom igen, säg inte att du inte har letat efter den perfekta ursäkten för att göra ett skolprojekt om porr." Jag gjorde en dubbeltagning. "... Okej, det är en ny."

"Ehm... vad?" Hans leende blev lite busigt, men han fortsatte i en helt allvarlig ton.

"I decennier var porr formspråkig. Det följde ett etablerat manus med lite eller inget förspel, avsugning och hardcore-penetration i många osannolika och obekväma positioner in i ett sista pengaskott. Nuförtiden får den typen av saker väldigt få visningar. Efterfrågan är mycket högre nu för mer realistiska skildringar av sex, särskilt för amatörer som fokuserar på kvinnligt nöje. Förr köpte folk DVD-skivor med generiska scener på varje. Nu finns det hundratals subreddits dedikerade till specifika kinks. Vad har förändrats? Är det bara anpassningen till Internet? Är det kopplat till ökande tittarsiffror och en mer mångsidig publik? Är det för att det finns fler leverantörer som försöker hitta en konkurrenskraftig nisch? Det måste finnas tillräckligt med material för en tidning där. Vad tror du?"

Min käke låg precis på golvet. Han var helt seriös. Han hade precis gått fram till mig, inte blinkat åt min elakhet, börjat prata intellektuellt om porr och verkade legitimt intresserad av vad jag hade att säga. 'Dude har bollar. Jag måste respektera det.

"Det låter som att du har tänkt mycket på det här", stammade jag.

"Det har jag", bekräftade han. "Jag är intresserad av vad som rör människor. Och, pubescent tonåring som jag är, det verkar som att lite rör människor så djupt som sex."

"Han är en ordrik sådan." Klassrummet hade röjts och nästa klass kom in. Jag samlade hastigt ihop mina böcker i min väska. "Tja, det kanske inte är samma sak, men jag slår vad om att det kommer att finnas fler ambidextrösa människor på grund av porr."

"Verkligen? Varför är det det?"

"Tja, du behöver en hand för att arbeta med musen och en att rycka med." Jag försökte matcha hans intellektuella ton men kunde inte riktigt hantera det och skrattade på slutet. Det förvånade mig, det hade jag inte tänkt säga. Jag hade tänkt muttra något om att jag behövde gå till lektionen och rusa iväg. Och en annan överraskning, han var inte konstig och skrattade med mig.

"Kanske du har rätt! Vi kanske kan passa in det i avsnittet om slutsatsen 'ser fram emot'. Lyssna, jag måste börja trigga, men jag skickar ett meddelande till dig ikväll." Och lika plötsligt som han hade kommit var han borta.

Det var så Richard och jag började binda samman – över porr. Som jag sa, ingen normal platonisk vänskap. Allt i utbildningsforskningens namn för vårt projekt, förstås.

Okej, vi kanske fortsatte med det efter det projektets slut, som vi fick 100 på förresten. Han skickade mig en länk till något hett och jag skulle försöka hitta något hetare, fram och tillbaka och försökte överträffa den andra i timmar i sträck. Det tog inte lång tid för oss att verkligen förstå vad som fick varandra att ticka.

Richard var en dominant. Han slutade kontrollera "sina" kvinnor och låta dem lyda honom. Jag vet detta eftersom han sa till mig i början. Jag frågade vad han höll på med och han sa bokstavligen till mig: "Jag är en dominant. Jag blir upphetsad av att känna kontroll och vara med någon som accepterar min kontroll." Okej, han kanske formulerade det lite annorlunda... men ändå. Han sa det så sakligt, som om det var det naturligaste i världen.

På den tiden var jag inte det minsta kvinnlig kinky. Men Richards smak verkade inte konstig för mig. Jag kände att det borde, han visade mig en ganska sadistisk skit trots allt, men det gjorde det verkligen inte. Jag kunde inte känna mig dömande mot honom eftersom jag för första gången i mitt liv kände att någon verkligen accepterade mig. Richard omfamnade den del av mig som ville bli en nörd och drömma om Mistborn . Han uppmuntrade den del av mig som ville vara hyperkonkurrenskraftig och riva fiender på basketplanen och Summoner's Rift. Han förstod den delen av mig som ibland ville bli lämnad ifred. Han ställde frågor till mig och fick mig att känna att jag kunde svara ärligt - att han verkligen ville ha min fulla raka ärlighet. Han gav min inre slampa en fristad att komma ut och inte bli dömd eller känna sig hotad. Och, kanske viktigast av allt, han förstod att bara för att jag ibland är en hel jävel betyder det inte att jag faktiskt hatar honom.

Långsamt, nästan omärkligt för mig, började jag bli tänd på BDSM. Jag kom på mig själv att fördjupa mig mer i det och försöka hitta nytt material som skulle tända honom. Han i sin tur gav mig en stadig diet av kink. En diet som var skräddarsydd för att tilltala mig. Till exempel identifierar jag mig som bisexuell, men jag blir egentligen bara blöt för en specifik sorts kvinna. Någon som är väldigt stark och imponerar på mig. Det är lite svårt att beskriva, men jag vet det när jag ser det, och det gör han också. Jag blev kär när han visade mig Queensnake . Hon och alla hennes modeller är jävla gudinnor av fysisk uthållighet, mental disciplin och känslomässig styrka. Mina ögon var centimeter från skärmen och såg henne ta slag efter stroke och lyckas resa sig igen varje gång. Jag tror aldrig att jag har varit så blöt förut i mitt liv. Jag beundrade henne så mycket och jag ville vara så stark.

Men det var aldrig riktigt sexuellt mellan oss. Vi pratade aldrig om att onanera eller att vilja knulla modellerna eller gå av eller något. Vi skulle säga "det är hett" eller prata om vad vi gillade eller ogillade med det, men på ett tydligt inte sexting sätt. Det var fantastiskt till en början eftersom det gjorde att det hela verkade säkert för mig. Jag kunde uttrycka en tabubelagd del av mig till någon som inte bara försökte komma i mina byxor.

Men så kom jag på att jag ville gå in i Richards byxor. Sedan slutade det vara så bra. Då hade vi tagit examen och gick på olika högskolor med tre stater från varandra. Vår relation utvecklades. Vi skulle bara ses online eller under helgdagar när vi var hemma. Den pornografiska delen av vår dynamik avtog dramatiskt till ett slutligt stopp när vi båda började dejta. Tja, han dejtade. Jag slängde mig på den hetaste kroppen på en viss fest.

Ändå var det en enormt formativ del av mitt liv, och all vår gamla historia av snabbmeddelandekonversationer sparades på min externa hårddisk. Åratal av länkar, nedladdningar och erotik blinkade framför mina ögon när jag laddade in den på min bärbara dator. Under loppet av många trevliga nätter hade jag sorterat det hela i mappar för Iconic Chats, Goddesses, Submissive Fantasies, Romantic Gay, Friends to Lovers (ett särskilt guilty pleasure av mig), några dussintals till. Ibland vill jag ha något slumpmässigt, ibland något specifikt. På jobbet den dagen hade jag ägnat pinsamt mycket tid åt att dagdrömma om en favoritvideo.

Mina fingrar dök mot min fitta när jag slog play på "Amatör ger hennes pojkvän en avsugning (#14)". Hennes passion och spänning gjorde det hett när hon dyrkade hans kuk med munnen. Hennes ansikte var ett kollage av konkurrerande känslor - spänning, glädje, fokus, njutning och kärlek - när hennes ögon flög mellan hennes älskares ansikte och hans kuk. Det är som att hon visste att hon skulle hålla ögonkontakt när hon suger honom, men hon kunde inte låta bli att stirra på hans kuk. Och det var en vacker kuk! Tänk och välformad, det såg ut som att det skulle fylla min fitta underbart.

Jag krullade fingrarna inuti mig själv, gnuggade min g-punkt medan jag fingrade på min klitoris och föreställde mig att jag blev fylld av kuken i hennes mun. Mitt hjärta rasade i takt med hennes guppande huvud, varje slag skickade pulser av begär genom mig, vilket fick min fitta att bulta av lust. Mina muskler spändes och ofrivilliga ljud undgick mig. Det var precis den sortens slarviga avsugning jag ville ge Richard! Känner hans bultande hårda kuk i min mun... hans händer på mitt huvud som styr min rytm... Nöjet som spelar tvärs över är ett vackert ansikte, känner hans hårda mage flexa, hans ben darrar vid mina sidor när jag suger honom.. Jag stönade av njutningen som for genom mig och föreställde mig att han kunde känna min röst på sin manlighet. Min fitta utstrålade värme som en eld, till synes immun mot alla våta safter som strömmade från mig.

Något annat. Ännu en video. Om jag höll fast vid den här till slutet, för att se hennes blick av ren tillfredsställelse efter att hon svalt hans last, skulle jag komma på några sekunder och jag behövde hålla tillbaka. Retande och förnekande är ett av Richards favoritspel, och jag är inte alls lika bra på det som vissa bloggare jag följer, men det var mycket som stod på spel som hindrade mig från att tippa över kanten. Tillfredsställd mig är rationellt. Rationell jag blir nervös och rädd för att ta chanser. Rationell mig hade hållit tillbaka från att bekänna sin attraktion till Richard i flera år, och hon hade inget behov av att komma ut ikväll!

Jag var så uppslukad av onanerande hedonism att jag inte såg den nya textvarningen på ett tag.

Richard: Hej, jag är i ditt grannskap ikväll. Vill du äta middag med mig?

"Han måste vara den enda killen på jorden som använder korrekt interpunktion i texter," tänkte jag. Vår textmeddelandehistorik var en lång rad perfekt korrekturläst engelska från honom, kontrasterande textstenografi och emojis från mig. Det var det! Allt enligt plan! Okej, tänk inte, låt bara dina hormoner tala för dig.

Erika: ja låter bra

Erika : det var något jag ville prata om

Erika: låt mig inte säga det ingenting

'Framgång!' Jag förväntade mig att känna mig ångrad och vilja ta tillbaka den, men det gjorde jag inte. Lite nervös, men spänd. Min klitoris, förvirrad över var hennes njutning hade försvunnit, bultade av frustration. Jag log och klappade henne försiktigt som en valp. "Oroa dig inte, du kommer att ha lite rejäl action snart nog... hoppas jag." Jag antar att det är svårt att känna sig för orolig med den här mycket lusten som rasar genom dina ådror.

På ett riktigt sätt, vad hade jag att förlora? Richard hade varit min bästa vän i sju långa år, men vårt förhållande hade inte varit vad jag ville för de flesta av dem. Jag hade aldrig känt mig riktigt uppfylld med någon av mina partner och jag hade varit i närheten av mordiskt avundsjuk på alla hans flickvänner. Dessutom, rationellt sett, var detta den perfekta tiden. Vi var båda singlar och bodde så nära varandra som två arbetande vuxna rimligen kunde hoppas på.

Okej, det kanske hade varit 'den perfekta tiden' i flera månader redan medan jag släpade med fötterna... men det var inte meningen!

Något hade hänt med hans senaste flickvän. De var tillsammans i över två år, men uppbrottet var dåligt. Vi pratade aldrig om hans romantiska partners, förmodligen för att jag blev bitchig de första gångerna de kom upp. Vad det än var så var det så illa att han nu försökte förtränga sin naturliga kinky dominerande sida och letade efter vaniljtillfredsställelse i en mängd Tinder-anslutningar. Han verkade mindre lik sig själv... mindre självsäker och alltid lite trött.

Mer än bara min egen obesvarade attraktion ville jag hjälpa honom. Jag ville vara den som omfamnade honom fullt ut och låta honom vara hans riktiga jag, så som han hade gjort för mig. Efter många försök att dra ut honom ur sig själv hade jag äntligen insett att det enda sättet att göra det var att ge honom en ny undergiven. Och det skulle bli jag.

Okej, okej, jag var mer än lite nervös över det. Richard var naturligtvis väldigt dominant, men jag var inte en född undergiven. Jag ville vara en för honom, men jag visste inte hur bra jag kunde prestera. "Det kommer att gå bra", sa jag till mig själv för hundrade gången, "få honom ombord först och oroa dig för de kinky sakerna senare."

Richard: Nu har du min uppmärksamhet. Jag går förbi ditt hus om en timme. Känner du dig som italienare?

'En timma!?!' Det var inte som att jag någonsin spenderat evigheter framför spegeln, men jag behövde seriöst en dusch. Hett vatten rinner genom håret, över bröstvårtorna och mellan benen... mmm... Något sa att jag skulle behöva lite tid för att bli ordentligt ren.

DEL 2

Han kom i kostym, komplett med slips, perfekt veckade byxor och manschettknappar. Allt detta bara för att ta en final. Typisk. Det är oklart för mig om han ens ägde ett par jeans. En 85 graders sommarkväll och han är klädd för att imponera och ser fortfarande upprörande ren, sval och avslappnad ut. Svett var tydligen något som hände andra människor. Jag å andra sidan hade gått med casual jeans och linne. Ett ganska lågskuret linne som visade upp min bröstkorg underbart. Jag hade gett mig själv en liten eyeliner, vilket är rent utsmyckat för mig, men vi var fortfarande ett par som inte matchade.

Det var helt typiskt för oss. Han gjorde sig nästan i konkurs när det gäller mode medan jag förmodligen skulle bryta benen om jag försökte gå i klackar. Trots att jag retade honom om det, var jag tvungen att erkänna att det fick honom att se jävligt bra ut. Sättet som de skarpt skurna kläderna kramade om hans sidor och visade upp hans atletiska ram... och de byxorna kramade om hans rumpa precis rätt...

Det finns bokstavligen tusentals fantastiska ställen att äta i Brooklyn nära Richards hus. New York City, å andra sidan... inte så mycket. Det finns många fördelar med att bo på fel sida av Manhattan. Som att ha råd med hyra och att kunna lämna sitt hus utan att bli mobbad till exempel. Den största är utsikten. Utsikten över centrala Manhattan från New York City är de enskilt bästa stadsvyerna på jorden. Jag var väldigt glad för detta när Richard och jag slog oss ner på en italiensk restaurang vid vattnet eftersom det drog hans uppmärksamhet från mig när jag kämpade för att komponera mig själv.

"Bara andas", sa jag till mig själv, "det är Richard, du pratar med honom online varje dag." Men han hade inte ens en enda gång kollat min dekolletage. Hade inte ens tittat på min rumpa när jag knöt min sko. Det fyllde mig inte med självförtroende.

"Det är fantastiskt", sa han och stirrade ut över vattnet mot Battery Park och Wall Street, "fångar min uppmärksamhet oavsett hur många gånger jag ser den."

"Ja."

En behaglig bris blåste av vattnet över oss och drev bort den värsta sommarvärmen. Det böljade genom Richards hår på ett väldigt iögonfallande sätt. Det steg värme genom min kropp som inte hade något med temperaturen att göra. Han var bara så jävla sexig i kostym... Tvärs över vägen från vårt bord trängdes turister längs floden. En grupp med en selfie-pinne stod i vägen för alla andra och några cyklister försökte förgäves röra sig snabbare än en krypning. Vi skrattade båda när en oförsiktig unge tappade en kringla till en mås.

"Du vet att jag dör av spänning här borta."

Jag hoppade och insåg att hans uppmärksamhet hade flyttats till mig. Dags att berätta för honom. Men på en gång försvann det dis av upphetsning som jag försökt skydda mig i. Fjärilar fladdrade genom min mage och jag kände hur jag rodnade. 'Det är Richard! Du berättar allt annat för honom! Om han var någon annan i världen, skulle du redan flirta med honom. För fan! Du är en vuxen rövkvinna, ta dig samman.

"Vad?" var allt jag lyckades få ut. " För helvete !"

"Hmm... får se om jag kan gissa. Du avslutade inte ARA-projektet på jobbet, du skulle ha firat det direkt utan att vara kryptisk om det. Detsamma gäller för att Tyler äntligen fick sparken. Du fick inte en höja eller så hade du köpt det dyraste vinet på menyn. Den där biten på slutet gör mig väldigt nyfiken . "Låt dig inte säga att det är ingenting." Vad kan du mena med det?"

Richard är en fullständig slav under sin egen nyfikenhet, så jag hade förväntat mig något sånt här och jag hade ägnat timmar åt att lista ut hur jag skulle hantera det. Jag hade provat en massa varianter av att taktiskt lätta in i ämnet. Jag hatade dem alla. Subtilitet är verkligen inte min grej. Jag suckade, bet ihop tänderna och brast ut:

"Jag vill bli din flickvän." Jag får inte se överraskning i Richards ansikte särskilt ofta. Det kändes skönt att byta våra typiska roller så. Låt honom vara ur balans för en gångs skull. Jag hade sagt det! Jag hade äntligen sagt det! "Gud, jag har velat säga det i åratal! Men du dejtade alltid någon eller så var jag för feg eller så hoppades jag att du skulle göra något åt mig på egen hand." Jag försökte bedöma hans reaktion men kunde inte. Hans seriösa pokeransikte var på och det gjorde mig orolig. "Och... jag antar att jag är trött på att vänta. Och jag vet att du har varit olycklig med alla de där Tinder-kopplingarna. Du har försökt vara någon du inte är sedan du och Chloe gjorde slut. Jag vill ha dig att vara ditt fulla jag med mig. Så ja, där är det... snälla säg något."

Var det rädslan i hans ansikte? Nej... oro? En grop öppnade sig i min mage och hotade att dra ner mig i den. Men nej, det fanns mer där. Önskan? Längtar? Visade jag bara känslor jag ville se? 'Snälla säg någonting!' Jag bad internt, "snälla!"

Till slut gjorde han det. "Oj, det är mycket att ta in." En del av höljet lyftes och han bjöd på ett trevande leende. "Du kan slappna av. Jag vill ha dig. Väldigt mycket."

"Du gör?" "AHHHHH!"

"Ja, och jag är ledsen om jag har fått dig att känna dig oönskad.

Hans ord och hans uttryck stämde inte överens. "Du ser inte glad ut."

Han suckade. "Jag tänker på det du sa om att jag är något jag inte är. Jag antar att du har rätt, men jag skulle vilja höra det från ditt perspektiv. Vad får dig att säga så?"

"Du har verkat nere på dig själv. Inte så mycket runt mig, utan bara i allmänhet. Du verkar inte så säker på dig själv och har dessa små förseningar. Det är som att du har en normal reaktion på saker som du undertrycker eller tänka om eller något. Jag märkte det lite efter uppbrottet och det kändes som att du inte blir bättre." Att erkänna nästa del var svårt, men det måste sägas, "titta, jag vet att jag har varit en total avundsjuk tik på alla dina flickvänner och jag är ledsen att jag aldrig frågade om dig och Chloe, men jag vet att hon var din första riktigt seriösa långvariga D/s-förhållandet. Saker och ting slutade illa med henne och du har försökt stänga av den dominerande delen av dig själv. Men du kan inte. Det är bara vem du är, och det är en del av dig som gör du glad."

"Och du säger att du inte är lyhörd för människor..." mumlade han för sig själv. Sedan, högre, "Så du vill dejta mig för att få ihop mig igen?"

Jag tittade spetsigt upp och ner på honom, lät mina ögon dröja över hans läppar, hans vältränade figur och rakt in i hans gren. "Tja... det är inte bara den anledningen." Jag hade aldrig testat att flirta med honom och det kändes bra. Jag ville flytta samtalet bort från nedtonade områden och fokusera mer på oss tillsammans, men det fungerade inte.

"Tänk om det finns en bra anledning till att jag försöker lämna kraftutbytet bakom mig? Tänk om jag skadar Chloe allvarligt och jag bestämde mig för att det är lite jävligt att bli upprörd av smärtan från min älskare?"

"Åh gud, hur ont har han inombords?" Jag kände mig hemsk, insåg att min svartsjuka hade hindrat mig från att stödja mig. Jag ville krama honom, men jag visste att det inte var sättet att komma till honom. Han svarade bäst på rationalitet. "Du antyder att du var missbrukande och jag tvivlar starkt på att det är sant. Du är en av de mest eftertryckliga personer jag känner. Har jag fel om det?"

"Nej..." sa han tveksamt, "inte så kränkande. Men jag bröt hennes förtroende ett antal gånger. Tja, jag antar i rättvisans namn att vi båda bröt varandras förtroende. Men ändå..."

"Richard", avbröt jag honom, "vi är tjugofem. Vi är unga! Ibland gör vi saker vi ångrar." Jag tog hans hand från andra sidan bordet och klämde den för att betona. "Du kan inte fortsätta att straffa dig själv för alltid. Du förtjänar att vara lycklig." Hans hand var fast och kraftfull i min. Jag njöt av att hålla den mer än jag hade förväntat mig.

Vi stirrade båda ner på våra sammanfogade händer. Han verkade gilla det också. Men han var ändå inte övertygad. Jag kände att jag närmade mig...

Jag pressade honom lite hårdare, "Titta, du är inte lycklig nu. Förneka det inte, vi vet båda att det är sant . Bortsett från skälen gav du vaniljlivsstilen mer än sin rättvisa chans, och experimentet har misslyckats. Kanske det är dags att försöka komma tillbaka på den metaforiska cykeln? Äldre och klokare, vet du ?" Jag höll andan när han tänkte på det. Sekunderna tickade förbi, men jag visste inte vad jag skulle säga mer.

Sakta log han. Något med honom förändrades, nästan omärkligt. Han verkade något större i min syn och något mindre spänd. Jag kunde säga att det inte var över. Jag skulle fortfarande ha mycket arbete att göra för att läka bort hans ärr, men han verkade villig att ge mig en chans.

"Du har rätt, jag har inte varit lycklig. Jag erkänner, jag har missat det." Han gav mig en vargaktig blick, hungrig av lust, "Kanske det är egoistiskt av mig, men jag känner att jag ville att du skulle prata in mig i det. Kanske speciellt för att det är du..." Den omisskännliga lusten i hans ögon gjorde mig fullkomligt glad. Speciellt för att det är jag? Var det möjligt att han fantiserat om mig också? Min andning tog fart och min egen lust väcktes igen. Det började kännas på riktigt. Jag skulle hämta honom! Jag grep hans hand hårdare, possessivt. 'Mina!'

"Men ändå", fortsatte Richard, "jag vill se till att du förstår vad du ger dig in på. Det är stor skillnad mellan att vara min flickvän och att vara min undergivna."

"Det är bra, jag vill vara..." Han tystade mig med ögonen. Än idag har jag ingen aning om hur han gör det. Ingenting förändras fysiskt i dem, men på något sätt fungerar det varje gång. Det var första gången jag verkligen kände hans dominans riktad mot mig. Jag hade känt det förut, sett det visat i olika nyanser konstant, men han hade aldrig riktigt slagit mig med det så. Det fick en omedelbar effekt. Ord dog i min mun och jag darrade. Jag tryckte ihop benen och kände värmen inom mig intensifieras.

"Det här är viktigt. Om du verkligen vill att jag ska vara mitt fulla och otyglade jag, då pratar vi inte bara om lite kinky sex några gånger i veckan. Vi pratar om att du ger dig över till mig. Fysiskt, mentalt och känslomässigt kommer jag att sikta på att äga hela det som gör dig till Erika. Det skulle vara väldigt annorlunda än den vänskap vi har haft hela våra vuxna liv. Är du säker på att det är det du vill?"

Jag mötte orubbligt hans allvarliga ton. "Ja. Jag vill prova. Det kommer att finnas en inlärningskurva, men jag vill ha det här."

"Jag vet att du gör det. Du har ditt sinne satt och du är fast besluten att se igenom det. Din envisa strimma kommer att bli ganska rolig att leka med." Han tittade på mig, mycket mer öppet sexuellt än han någonsin gjort i hela vårt förhållande. Medvetet visar mig sin uppmärksamhet på mina bröst, mina läppar, min hals. Jag klämde ihop mina ben hårdare och njöt av hans uppmärksamhet.

När han stirrade öppet på min dekolletage, stelnade mina bröstvårtor, som om de också ville ha hans igenkänning.

"Ändå," fortsatte Richard, "jag kommer inte att känna mig rätt om jag inte gör mitt bästa för att ge dig så mycket förståelse som möjligt innan vi ändrar saker mellan oss. Men det är svårt för mig att prata om eftersom jag aldrig har upplevt subsens sida." Han övervägde, drog sedan fram sin telefon och bläddrade igenom sina kontakter. "Det finns en vän till mig som bor ganska nära som jag skulle vilja bjuda in till oss. Hon kan berätta allt hon önskar att någon hade berättat för henne innan hon började underkasta sig."

Jag funderade på att trycka tillbaka. Jag var redan jävligt säker på vad jag ville. Allt jag ville göra var att ta mig igenom middagen snabbt, rusa hem och ta av honom den där kostymen. Men han försökte göra det han trodde var rätt och han skulle må bättre av att veta att han hade gjort det. Så jag gav upp mig för att vänta lite längre. "Om det verkligen är viktigt för dig, okej."

"Tänk på det som informerat samtycke. Dessutom kommer du att gilla henne. Hon är mycket din typ." Han gjorde en paus och funderade, innan han fortsatte, "och det finns lite bakgrundsinformation som du förmodligen borde veta först."

"Lite" täckte det inte riktigt. Det visade sig att det fanns massor som Richard aldrig hade berättat för mig när han skyddade mig från flickväns avundsjuka. Han och Chloe hade träffat några likasinnade par på Fetlife och de träffades med några veckors mellanrum. Han var snål med detaljerna, men det lät som att deras möten var väldigt sexuella på ett inte helt monogamt sätt. En längtansfull blick spelade över hans drag när han beskrev den öppna dynamiken bland dem, hur de möjliggjorde och stödde varandra och hur det var trevligt att vara öppet kinky runt människor som förstod. Tydligen hade han blivit avlägsen med dem sedan uppbrottet. Den här vännen till honom, Cathy, var en del av den gruppen med sin älskarinna, och hon bodde en kort promenad bort. Liten värld.

DEL 3

Cathy dök upp vid vårt bord precis när vi betalade checken. Jag säger "dök upp" för det verkade verkligen som om hon materialiserades från ingenstans. Ena sekunden gjorde Richard tipsmatte, och nästa sekund var det en liten, blek kvinna som kramade honom. Jag insåg att de inte hade sett varandra på ett tag på grund av hennes anklagelser om att Richard var sugen på att hålla kontakten och var en kuk för att få en återförening på henne mitt i natten.

Precis som Richard hade sagt, gillade jag hennes utseende. Hon var liten, ett helt huvud kortare än mig, men atletiskt byggd med tuffa händer och en vandrars ben. Hon bar en t-shirt med ett lokalt bartryck och jeans slitna vid knäna för att vara shorts. Hennes bröst såg underbara ut, fasta och fylliga nog att vara roliga men kompakta nog att de inte skulle störa henne när hon springer. Kortklippt rött hår ramade in hennes ansikte, vinklat åt sidan för att visa upp orbital- och helixpiercingarna i ena örat. Hon var fokuserad på att se upp mig samtidigt som jag tog in henne. Våra ögon möttes och gnistan av attraktion mellan oss skulle ha fått min gaydar att ringa även om Richard inte hade nämnt hennes älskarinna. Min typ verkligen. Jag satte mig upp rakare och gjorde en show av att sticka ut mitt bröst.

Hon gillade det hon såg. "Vem är din söta vän?" Hon frågade. När hon hörde mitt namn flämtade Cathy, "Du är den han alltid pratar om! Det är fantastiskt att äntligen träffa dig, jag är verkligen glad att den här idioten äntligen kom över sig själv och tog dig till vår värld."

"Pratar han alltid om mig?" Jag sparade bort det för senare.

"I själva verket," påpekade jag, "han gjorde ingenting. Jag bad honom ut och han släpar fortfarande sina fötter om det."

Cathy gav Richard en otrolig blick. "Blev DU tillfrågad av en tjej?"

Han skrattade, "Är det verkligen så svårt att tro att någon kan tycka att jag är attraktiv?"

"Det är svårt att tro att du skulle behöva någon annan för att ta initiativet."

Jag anslöt mig till Richards skratt, glad att någon annan uppskattade min kamp. "Gör inte du med mig också!" han sträckte skämtsamt upp händerna. "Hur som helst, innan vi går in i det för mycket borde vi nog ge dem tillbaka bordet. Ni båda är intresserade av glass? Det finns ett bra ställe i närheten."

Det slutade med att vi mumsade kall sockerkrämig underbarhet i en park nära mitt hus. Vi hade fått mer fart på Cathy och jag fann mig själv tycka om henne. Sättet hon korsade bubblande värme med respektlös direkthet gjorde henne väldigt lätt att få kontakt med. Hon hade mycket att dela om "vår värld" som hon uttryckte det.

Några av hennes observationer var mindre roliga anekdoter. Som till exempel hur hon kom på att hon blandade manschetter och grödor i sina analogier och behövde se sig själv på jobbet. Eller hur den vanligaste anledningen till att hon var tvungen att stoppa en bondage-scen var att använda badrummet.

Andra var större och mer abstrakta. Allt i Cathys liv kändes överladdat. Topparna var högre, de låga var lägre och hon kände sig sällan neutral. Hennes älskarinna hade orgasmkontroll, så Cathy var ständigt kåt. Allt hon gjorde kändes på något sätt sexuellt, från att klä på sig på morgonen till att beställa Starbucks till att träffa en främling och reflexmässigt kolla upp dem. Ibland kan något så enkelt som att ta ett djupt andetag en klar solig dag få henne att känna sig otroligt LEVANDE med stora bokstäver. Långt ifrån att skrämma bort mig, eller vad Richard nu hade förväntat sig, gjorde det mig mer intresserad. Mina egna experiment på den avdelningen gav mig en känsla av vad hon försökte säga, och jag gillade idén att tillföra

lite krydda till mitt dagliga liv. Hon skyllde allt på Richard, som hon
kallade "Trollkarlen", för att hon introducerade sin älskarinna för att
reta och förneka.

Blicken på hans ansikte fick mig att fråga: "Varför är du
"Trollkarlen"?"

Han ignorerade mig och stirrade på Cathy, "Jag hoppades att du
hade glömt det där jäkla smeknamnet. Varför berättar du inte för
henne om ditt, Firefly?" Av någon anledning, trots alla personligt
sexuella saker hon redan ogenerat delat med sig, fick detta Cathy att
blossa i kinderna.

"Hennes är lätt, hennes hår är riktigt eldigt", påpekade jag.

"Ja, Firefly eftersom jag är rödhårig," sa Cathy snabbt, "i alla fall
tillbaka till Wiz—"

"Cathy." Richard skar smidigt igenom hennes ord som en kniv.
Varken starkare eller mjukare, men med omisskännlig auktoritet som
fick mig att rysa och Cathy hoppa som om hon hade blivit fångad på
sin telefon på jobbet.

"Bra!" Hon erkände, "Jag fick mitt smeknamn i vår lilla grupp
eftersom, när matte Sam slår mig, lyser min blekvita rumpa som en
eldfluga." Vi skrattade alla. Det fick mig dock att undra. Tillräckligt
många människor hade sett detta fenomen för att vara med i
smeknamnet?

"Hur många har sett dig få smisk?"

"Alla i mötesgruppen och några andra vänner till oss." Hon
rodnade djupare och fick henne att lysa upp på ett väldigt gulligt sätt.
"Det är inte alls det tyngsta som har hänt för en folkmassa."

"Vad är det tyngsta som har hänt i den här gruppen?" Jag
undrade, men bestämde mig för att hålla den frågan en annan gång.
Richard hade avvikit och jag kunde inte bara låta honom komma
undan med att fokusera uppmärksamheten bort från sig själv.

"Åter till dig nu. Varför är du trollkarlen?"

"Det är för att han kan magi..." började Cathy

"Jag kan inte magi," sa Richard med en rulle med ögonen.

"—Även om han förnekar det", tryckte hon igenom hans avbrott. "Lyckligtvis behöver du inte ta mitt eller hans ord för det! Du kan titta på några bevis och avgöra själv." Hon tog fram sin telefon.

"Säg inte att du har den videon sparad och att du bär den överallt du går." Richard stönade.

" Självklart gör jag det! Har du någon aning om hur varmt det är för oss subs?" Hon skickade sin telefon till mig, "har du några hörlurar på dig? Här, använd mina. Men allvarligt talat, Richard, det är bra för henne att se om du vill ge en uppfattning om hur intensivt energiutbyte kan bli."

Han suckade men nickade, "Okej, men tänk på att det är det extrema slutet. Det borde fungera som en varning."

Jag tittade mellan dem och försökte avgöra hur allvarliga de var. "Det är en hel del uppbyggnad. Ursäkta mig om jag är skeptisk att något kan leva upp till det." Richard log medvetet, som för att påminna mig om att han hade ägnat flera år åt att byta porr med mig och han visste jävligt väl vad som skulle leva upp till mina förväntningar.

Hörlurar i, jag tryckte på play.

Omedelbart blev jag attackerad av grafiskt sex. Kameran fokuserade på en vacker kvinna som låg på rygg på ett upphöjt bord med slutna ögon, armarna vid hennes sida och utspridda ben. Specifikt fokuserade det på hennes fitta, som var mycket tydligt väldigt het. Bläckar av väta spårade från hennes underdel ner till hennes rumpa och hennes bäckenmuskler krampade. En skuggig figur hopkrupen vid hennes huvud, som verkar viska i hennes öron. Ibland smekte han henne. Hennes ansikte, hennes hals, hennes hår, hans beröring var mild och verkade förmedla värme och tillgivenhet... och kärlek.

Jag växlade obehagligt. Det var helt klart Chloe på bordet och Richard ovanför henne. "Var inte avundsjuk, han är din nu, snart kommer de fingrarna att smeka dig."

Han gick aldrig under hennes nyckelben, men hennes kropp reagerade som om han hade en vibrator pressad mot hennes klitoris. Hennes mage böjde sig, hennes bröst höjde sig och alla hennes muskler darrade. Hon krampade men växlade aldrig, som om hon var en mimar som utspelade sig när hon var bunden av osynliga rep. Hennes armar pressades rakt ned medan hennes lår kämpade sig själva för att samtidigt öppnas bredare, knytas ihop och förbli helt stilla på en gång. Minut för minut blev hennes kamp mer uttalad. Hennes blygdläppar svämmade över av blod och hennes klitoris blev tydligt synlig mellan dem. Hon stönade fritt, som en porrstjärna som agerar som en kukhungrig hora. Richard flyttade för att vara bredvid henne, som Prince Charming som böjde sig ner över Snövit men oändligt mycket mer X-rankad. Han viskade fortfarande till henne och gick mot hennes mun. Chloes höfter tog sig upp i luften och blev mer frenetiska ju närmare Richard kom sitt mål.

Sedan kysste Richard henne och Chloes fitta exploderade i orgasm. Hennes klitoris såg ut som om den skulle spricka och hennes slida kunde inte ha dragit ihop sig hårdare om hon hade haft en kuk begravd i sig att greppa om. Jag kände hur min käke föll. Ingenting annat än luft hade vidrört någon erogen del av henne. Min egen kropp reagerade på den råa ilskan av Chloes orgasm när hon fortsatte att kumma och kumma . Richards läppar tryckte fortfarande mot hennes, hans tunga tydligt i hennes mun, hennes orgasm gick över en och en halv minut.

Skärmen blev svart.

"Hur fan gjorde du det?" Jag krävde av Richard. Han och Cathy skrattade båda.

"Du borde ha sett dina ögon bli bredare," retade Cathy mig, "som jag sa, han är en jävla trollkarl."

Richard ryckte på axlarna men såg utpräglat självbelåten ut. "Enkelt. Jag sa åt henne att komma och hon lydde."

"Hur ska det vara en varning?" Jag frågade. "Ingen kvinna på jorden kunde se det och inte vilja smaka. Gör det mot mig också snälla." Jag pekade på skärmen, "Jag tar det hon har."

"Okej, skojar åsido, det finns en hel del konditionering som gör en sådan hypnos möjlig." Cathy sa "Wizard" bakom Richards rygg när han sa "hypnos." "Det är inte sinneskontroll, det krävde att hon verkligen ville släppa in mig i sitt sinne och lyda mig. Hur som helst, steg tillbaka en sekund. Kan du ge dig själv en handsfree orgasm? Var och en av er? Naturligtvis inte, det är varför videon är så fascinerande för dig. Det kunde inte Chloe heller."

"Men", vinkade jag till telefonen, "jag såg precis hur hon gjorde det."

"Ja och nej. Ja, hon fick en orgasm utan fysisk stimulans. Men nej, hon kunde inte ge det till sig själv. Hon kunde inte tänka över kanten, hon behövde att jag pratade henne igenom det. Hon kom pga. Jag sa åt henne att göra det. Det, Erika, är din varning." Hans leende försvann och hans blick trängde in i mig, som om han försökte tvinga in hans budskap i mig med tyngden av det. "På ett väldigt verkligt sätt sa jag åt henne att göra något som var omöjligt för henne på egen hand, men hon lydde mig ändå. Det är hur mycket makt en dominant kan ha över en undergiven. Så mycket kontroll kan jag ha över dig Om det inte oroar dig, åtminstone lite, så borde det göra det."

Cathy nickade, också allvarligt, "Det är sant. Det är samma sak för mig. Efter ett tag vänjer man sig så vid att underkasta sig och vara lydig att olydnad känns helt fel. Till och med bara tanken på det. Jag är också superkänslig till allt från min älskarinna. Jag tror att det är sant för alla undergivna. Om din Dom är arg på dig, eller fan, till och med bara lite besviken, förstör det dig. Kan inte äta, kan inte sova, kan inte tänka på någonting annars. Du kommer att göra en hel del för att undvika den känslan."

Det funkade in i mitt huvud. Jag var ganska känslig för Richard redan. Helvete, jag hade precis ägnat en vecka åt mig själv bara för att försöka överrösta min rädsla för att känna mig avvisad av honom. Skulle jag känna den rädslan ännu mer akut? Skulle det utökas till att omfatta någon form av negativitet från honom? Det oroade mig. Jag ville aldrig vara så känslomässigt behövande, men var jag inte redan på väg dit?

Men det gav oss inte tillräckligt med kredit som ett par, eller hur? Richard brydde sig om mig. Han hade alltid brytt sig om mig som sin bästa vän och nu visste jag att han skulle bry sig ännu mer som min älskare. Jag kunde känna det djupt inom mig själv. Han brydde sig verkligen om att se till att jag var bekväm och kände mig säker.

"Jag litar på dig", försökte jag lägga så mycket känslor i orden som möjligt, för att försäkra honom om att jag verkligen menade det. Jag har alltid varit sugen på att förmedla mina känslor, men hans återkommande leende lät mig veta att han förstod. Jag mötte hans ögon och försökte förmedla så mycket känslor som möjligt, men jag kände hur jag tappade bort mig i de vackra mönstren av blått, kricka och gult som omgav hans svarta pupiller. Han, å andra sidan, verkade titta förbi mitt yttre djupt in i mig. Jag ville visa mig för honom, för att han skulle se mig. "Jag litar på dig, jag vill ha dig." Jag försökte föra mina tankar in i hans huvud genom våra ögon. 'Jag litar på dig. Jag vill ha dig. Jag vill ha allt av dig. Jag vill göra dig glad. Jag vill kyssa-'

Tanken hade knappt börjat när det plötsligt inte fanns något mellanrum mellan oss. Hans armar runt mig, hans ansikte några centimeter från mitt, han verkade torna över mig trots att han var lika lång. Jag andades in hans värme och närhet och kände hur mina ögon stängdes av sig själva. 'Herregud herregud herregud.' Hur romantiskt cheesy det än låter, när hans läppar rörde vid mina, gav mina ben nästan upp. Hela min kropp verkade sucka på en gång och jag hann knappt registrera hur varma hans läppar kändes innan hans tunga var i min mun. Kände han sig så varm för att glassen hade svalnat mig? Varför hade det inte fungerat på honom? Varför tänkte jag på glass vid en tid som denna? Jag vände av mig och tryckte in mig i honom. Min tunga kämpade med hans och vi dansade runt min mun. Hur jag än försökte kunde jag inte få någon mark i hans mun. Vi växlade mellan att fläta ihop våra tungor och att han fäste mina. Han höll mig nära för att få mig att känna mig önskad, önskad på ett sätt som jag hade behövt känna från honom i flera år.

Det var perfekt. I efterhand kan jag inte säga om det kändes så för att kyssen faktiskt var så bra eller för att det var vår symboliska först. På den tiden kände jag ren och skär upprymd glädje. Tja, kanske inte faktiskt "ren" glädje. Det späddes ut med lite lust. Okej, kanske mycket lust. Jag flämtade, blöt på vissa ställen och stenhård på andra när vi äntligen kom isär.

"Du läser mina tankar", viskade jag till honom, "du är verkligen en trollkarl."

"Ingen magi, enkel mugglarbiologi. Dina pupiller var väldigt vidgade. Betyder att du är upphetsad."

"Wow, ni ser båda ut som ni behövde det." Jag hade glömt Cathy!

"Förlåt! Vi menade inte att förvandla dig till ett tredje hjul."

"Det är coolt, jag har smugit på många smink-sessioner. När det gäller heteros så var det ganska hett . Jag ger er 8 av 10. Poäng för rå törst, men kan förbättras med mer famlande och mindre kläder."

'Mindre kläder! Nu finns det en idé. Jag insåg att jag skamlöst tafsade på Richards bröst längs knapparna på hans skjorta. Cathy märkte med ett leende, " Som sagt, jag tror att jag ska bege mig hem nu. Jag hittar dig på nätet, Erika. Jag är säker på att jag kommer att se er båda snart!" Hon kan ha försvunnit lika plötsligt som hon hade dykt upp. Jag vet inte, jag var för upptagen med att flina som en dåre mot Richard.

"Låt oss åka hem", sa jag. Att se hans nick kändes som en ren seger.

DEL 4

Min lilla lägenhet kändes helt annorlunda. Richard satt i min bekväma skrivbordsstol medan jag ockuperade den hårda hopfällbara stolen som vanligtvis är reserverad för gäster. Det hade bara blivit så. Som om det var hans hem och jag bara bodde här. Jag kastade en fåraktig blick runt platsen. Mina arbetskläder låg fortfarande i en hög där jag hade slängt dem tidigare, min säng stod obäddad mot bakväggen, disken låg fortfarande i diskhon och mitt skrivbord var i total oordning. Richard märkte att hårddisken fortfarande var ansluten till min bärbara dator och frågade retsamt om jag hade fått någon nytta av den nyligen. Jag kände mitt blod stiga. Det kan ha varit den mest sexuella stöten han någonsin tagit mot mig.

Jag gillade det, och efter all uppbyggnad var jag trött på att vänta. Så jag berättade allt för honom om vad jag hade gjort innan middagen. Jag berättade för honom hur jag hade gjort samma sak varje dag i en vecka och jobbat fram till ikväll. Jag tände på den erotiska flirten jag alltid velat vara för honom, var så provocerande som möjligt och beskrev mina fingrar som vrider sig inuti mig själv när jag föreställde mig allt jag skulle göra mot honom och han skulle göra mot mig. Hur jag skulle suga ner hela honom till hans bollar tills han växte hårt ner i min hals. Hur jag hade varit så blöt i timmar att han hade glidit in i mig direkt utan något förspel. Vad jag önskade att han hade stött in i mig, hårt och snabbt, dunkade mig tillräckligt hårt för att få sängen att skaka.

Han lyssnade, artigt uppmärksam som alltid, lika avslappnad som om vi pratade om var vi skulle äta lunch. "Och du säger att du är dålig på att uttrycka dig", kommenterade han ironiskt. Hans hållning skiftade subtilt från slentrianmässigt avslappnad till att vara mer fokuserad och intensiv. "Det är vad du vill, va? Att "kvävas på min kuk och bli knullad till splitter", som du så vältaligt uttrycker det?" Jag svalde och nickade, mina ord lät mycket smutsigare från hans mun. "Tja, vi kommer till det snart nog. Men först måste vi prata om de två lagarna."

"Bara två regler?"

"Åh nej, du kommer att ha massor av regler att hålla reda på. Dessa är olika, de kallas lagar av en anledning. När du kommer till det är reglerna bara en del av spelet. Om du inte lyder reglerna, du får ett sexigt straff och leken fortsätter, lagarna å andra sidan måste alltid följas av oss båda.

"Den första lagen är för säkra ord. Röd och gul. Säg "Röd" när som helst och allt stannar. Säg "Gul" och vi saktar ner. De säkra orden finns för att hålla oss båda säkra och för att hjälpa oss båda att känna oss bekväma. Du kan använda dem när som helst, oavsett anledning. Vi pratar om hur du mår och hur vi kan hjälpa dig att må bättre. Det är aldrig någon skam att använda ett säkert ord." Hans fokus gav en spets till hans ord, "Det visar inte en brist på förtroende eller vilja att underkasta sig eller något liknande. Du ska aldrig känna dig pressad mot att använda dem. Om någon någonsin försöker berätta något annat för dig, säg åt dem att knulla sig själva.

"Den andra lagen omger ärlighet. Jag kommer aldrig att ljuga för dig och jag förväntar mig att du alltid ska vara ärlig mot mig. Om jag till exempel slår dig och jag kollar in dig, förväntar jag mig att du är ärlig. du har allvarlig smärta och du orkar inte mer, jag förväntar mig att du berättar det för mig och inte ljuger för att du tror att det är vad jag vill höra. På samma sätt, om du tror att du har trasslat till och jag säger till dig att det är okej och jag är inte arg, du ska tro det och inte ana det.

"I grund och botten handlar de två lagarna om öppen och ärlig kommunikation. Det är viktigt för alla par, men det är särskilt viktigt för BDSM. Strömutbyte är mer än komplicerat nog utan att behöva ta itu med sådana grundläggande saker."

"Rött och gult. Lätt att komma ihåg. Jag förstår. Men betyder det inte att jag bara kunde klaga på att bli bunden eller smisk?" Det vände hans leende från allvarligt till vargfisk.

"Det kan vara ett bekymmer för vissa människor, men inte dig. Du vet inte hur man gör något halvvägs . Det är en del av det som gör dig så attraktiv för mig. Jag är inte orolig för att du ger mindre än 100 procent, Jag är orolig för att du försöker pressa dig själv till 130 procent och blir skadad."

"Rättvist nog", nickade jag.

Han satte sig långsamt upp och verkade på något sätt få mer höjd än han borde ha gjort. Han verkade som ett rovdjur som såg ner på ett mycket välsmakande byte. Det fick mig att känna mig mindre men samtidigt önskad. "Du har haft kontroll över dig själv hela ditt liv. Hur du spenderar din tid, hur du rör dig, vem du förföljer, hur du har sex... Du är oskuld i den här nya världen, Erika. En väldigt kåt och villig jungfru." Han vilda flin vidgades, som om jag var en biff som luktade saftigt, "Så nu... är du redo att ge upp lite kontroll?"

Jag hade aldrig varit mer redo!

Antiklimaktiskt tryckte han mig inte till marken och knullade mig. Istället instruerade han mig att stå med ryggen mot väggen. Det och inget mer. Han satt, hans ögon strövade över mig medan jag stod och pirrade. Han verkade som någon på ett museum som tog sig tid att uppskatta en mästares målning. Han fokuserade inte på någon del av mig speciellt, han verkade fånga hela mig på en gång. Jag föreställde mig att jag kunde känna hans blick som en mycket lätt fysisk känsla som spelade över min hud. Det fick mig att känna mig väldigt utsatt, trots att jag fortfarande var fullt påklädd.

"Vet du varför jag tycker att du är attraktiv?" Han frågade. Jag blev förvånad över plötsligheten och av själva frågan. Fram till för några timmar sedan var jag säker på att han inte alls var intresserad av mig.

"Nej—um—" Jag insåg att jag borde ge honom en hedersbetygelse men visste inte vad jag skulle använda, så jag valde som standard "—Master." Det fick ett skratt från honom.

"Jag föredrar 'Sir', men jag gillar var ditt huvud är på."

"Åh. Får jag fråga varför?"

"Du kanske alltid frågar "varför". Vanligtvis kommer jag till och med att svara. Mästare innebär en nivå av... ja, behärskning, som jag inte känner att jag besitter. Det är faktiskt en del av varför jag ogillar det där smeknamnet "Trollkarlen" så mycket. Båda verkar förmedla en känsla av ofelbarhet som inte är jag."

"Åh. Okej, sir. Nej, jag vet inte."

"Du är stark, beslutsam, mycket intelligent," stod han och kom mot mig, "och du har en självkänsla som är helt din egen. Du söker upp och gör det som gör dig lycklig helt enkelt för att det gör dig lycklig, förväntningar på andra var förbannade. Jag beundrar det tapperheten i dig." Mitt ansikte värmdes av hans beröm och jag svällde av stolthet. Det kändes fantastiskt att bli igenkänd så från honom!

Ändå var jag nyfiken, "men det är egentligen inte särskilt undergivna egenskaper, sir?"

"Tvärtom, det är de mest tilltalande egenskaperna en undergiven kan ha. Vem som helst kan dominera någon svag. Det kan vara roligt, men det är inget speciellt med det. Någon svag har liten makt att ge upp till den dominanta." Han smekte lätt över min kind, hans fingertoppar skickade rysningar i hela mitt huvud, "Men när någon stark väljer att ge upp sin makt till en dominant... ja nu, det är något helt annat." Hans hand slingrade sig runt baksidan av mitt huvud och grep mitt hår hårt men inte obehagligt. Jag upptäckte att jag inte kunde röra mig, inte kunde vända mig om jag hade velat. Jag ville inte, jag lutade mig tillbaka in i hans hand och ville känna mer.

"Du har så mycket kraft inom dig, Erika," viskade han med ansiktet lite mer än en tum från mitt. "Känner att det är väldigt berusande för mig." Han andades in djupt, som en finsmakare som luktade på ett gott vin. Hans läppar förtärde min syn, så nära min egen. Jag ville känna dem igen, men hans grepp om håret precis bakom mitt huvud höll mig stadigt på plats. Jag försökte luta mig framåt, min lust kämpade kort mot hans grepp om mig, innan jag gav upp och lät mig vila mot hans hand igen. Jag hade aldrig känt mig så mycket kontrollerad förut i mitt liv. Hans ögon brände sig fast i mig och mitt andetag kom i korta flämtningar. Jag undrade om mina pupiller vidgades igen.

Sedan släppte Richard mig och steg tillbaka. "Ta bort din topp och behå", sa han. Slumpmässigt, som om han hade frågat vad klockan var.

Något med det fick mig att rodna igen. Jag ville ha det här. Jag ville känna mer och gå mycket längre. Men på något sätt, att faktiskt ta första steget och blotta mina bröst för honom gjorde mig väldigt nervös. Kval av osäkerhet om min kropp smög sig in i mitt sinnes hörn. Tänk om jag såg ut som en pojke för honom? Mina händer slog inte till för att automatiskt lyda hans kommando. Det skulle ha varit för lätt. Istället fumlade de bakom mig med spännet som en jungfrulig gymnasieelev som försökte nå andra basen. Det lossnade till slut och jag slängde bh:n åt sidan. Ironiskt nog landade den precis bredvid min säng ovanpå mina kasserade kläder för flera timmar sedan.

Jag älskar mina bröst. Jag fullkomligt avgudar dem till döds. Jag älskar hur de känns i mina händer, jag älskar njutningen de ger mig, jag älskar känslan av frihet när de kommer utan bur efter en lång dag i en bh. Och just då ÄLSKADE jag verkligen effekten de hade på Richard. Hans ögon var klistrade vid dem och han nickade lätt uppskattande. Jag kanske inbillade mig det, men jag kunde svära på att det växte en utbuktning i hans byxor.

"Flät ihop fingrarna bakom huvudet och böj ryggen något." Jag följde snabbt, höjde armarna och tryckte ut bröstet, vilket gjorde mina bröst så framträdande som möjligt. Återigen spårade hans fingertoppar över min hud, den här gången på mina magmuskler. "Håll dig själv."

"Ja, sir," lovade jag. Han gled över min släta, hårda mage, precis tillräckligt lätt för att skicka små rankor av njutning genom mig vid hans beröring. Rysningar rann uppåt genom mig ju högre han gick, tum för tum uppåt över min mage. Han retade mig, gick plågsamt långsamt och kände min bara hud överallt utom på de fläckar jag ville ha. Mina bröstvårtor blev hårdare och mer uttalade för varje hjärtslag. De ropade på uppmärksamhet, att bli gnidade och klämda och nöjda. Men till min bestörtning hoppade han över dem och fokuserade istället på mina armar och axlar.

"Du har utmärkta triceps och axlar," komplimenterade han beundrande. Det vägde nästan upp för alla retande. Det finns en utvald grupp saker som tjejer är vana vid att få komplimanger för från män, och de musklerna finns inte med på listan. Han gillade min kropp för vad den var!

"Tack, sir! Det är år av basket och svett på gymmet."

Till slut, i en rörelse, kupade han båda mina bröst. De expanderade till hans starka, fasta händer när jag andades in, vilket fick mig att flämta av njutning.

"Är dessa väldigt känsliga?" frågade han och märkte min reaktion.

"Vanligtvis inte så här mycket," jag hade stora svårigheter att hålla mig stilla och inte trycka på honom. Han klämde lätt och njöt tydligt av att smeka mig lika mycket som jag var. Jag blundade och drack in känslorna. Mitt bröst gick upp av nöje när jag presenterade mig för Richard för att leka med som han ville. Det kändes bra.

Mina bröstvårtor exploderade. Mina ögon öppnades och jag vek mig dubbelt och släppte ut ett konstigt stönande skrik. Richard hade mina mycket retade knoppar mellan fingrarna och han rullade dem inte alltför försiktigt.

"Håll stilla", påminde han mig. Jag nickade, men det var väldigt jobbigt. Njutningen for genom mig, kryddad med lite smärta när han klämde. Varje sensationspuls skickade ett ryck ner till min klitoris. Jag kände mig som hans leksak. Som att min kropp existerade för hans nöje och mitt medvetande fanns för att öka hans nöje. Han klämde och njöt av att se mig växla mellan glada suckar och förskräckta tjat.

"Njutning eller smärta?" han frågade.

"Båda", flämtade jag, "det är väldigt intensivt." Han log brett och släppte dem, knådade mina bröst samtidigt som bröstvårtorna fick tid att återhämta sig. Om något var detta ännu mer intensivt än tidigare. Kraftfulla stickningar koncentrerade mitt fokus till två känsliga punkter när blodet strömmade tillbaka in i dem.

"Ditt ansikte är underbart uttrycksfullt. Mycket äkta. Ta nu bort resten av dina kläder."

Den här gången lydde jag utan att tveka. Mina jeans och trosor var både över mina höfter och ner för mina ben innan jag helt registrerade vad han hade sagt. Jag var så blöt, så redo för lite riktigt nöje, jag kunde inte vänta med att ta med min fitta ut för att leka.

Jag träffade en lätt vägspärr runt vaderna. Allvarligt talat, den som designade jeans för kvinnor hade inte i åtanke snabb borttagning, särskilt inte från atletiska ben. Till slut stod jag helt naken framför Richard.

Jag förväntade mig att han skulle reta mig ännu mer, men istället strök han genast min buske.

"Raka det här innan vårt nästa möte."

Okej, det här kanske faktiskt var mer retsamt. Han gav knappt min fitta något tryck eller kontakt alls, bara mjuka klappningar och dra mitt hår. Det var väldigt distraherande. "Jag trodde du gillade lite hår på en fitta", sa jag.

"Jag gör det, och det här är ganska trevligt. Men jag kommer att lära mig din kropp och hur den reagerar, så att ha tydlig syn på ditt kön kommer att vara mycket användbart. Du värdesätter också din buske mycket, så raka den för mig kommer att vara en daglig påminnelse om din inlämning."

Jag svalde, "Ja, sir." Han måste känna hur blöt jag är. Kom igen, knulla mig! Jag försökte omärkligt pressa fram mina höfter, bara en liten bit, men han justerade sin hand innan jag kunde få någon kontakt.

Richard satte sig igen och vinkade mig framåt. "Knäböja." Jag var väldigt tacksam för att jag hade lagt ner en matta. Mina svar kom snabbare, med mindre eftertanke från min sida. Att komma till rätta med hans kontroll kändes bra. Jag behövde egentligen inte tänka så mycket, bara känna och njuta. "Knäna spridda lite bredare, korsa armarna bakom ryggen. Ta tag i underarmarna så högt upp du kan." Han guidade mig till den position han ville ha, tuttar utsträckta och benen breda och sa att det kallades "Exposed Pose."

Exponerad är rätt. Herregud det här är intensivt. Richard tornade sig över mig som en staty. Jag kom bara så långt upp den tredje knappen från hans bälte. Fortfarande fullt klädd i sin fräscha, rena kostym såg Richard ner på min fullständiga nakenhet. Höjdskillnaden kändes påtagligt ny och konstig för mig. Vi har alltid varit lika höga, jag var van vid att se honom på min nivå. Nu kan han lika gärna ha varit Zeus som satt på toppen av Olympen. Ovanpå det var själva posen mer påfrestande än jag hade trott. Mina knän grävde hårt i mattan och mina axlar var missnöjda med hur mycket de blev ombedda att sträcka ut.

Jag försökte förstå allt jag kände men gav upp. Att säga att jag kände mig utsatt eller sårbar täckte det bara inte. Jag låg på knä på golvet vid min bästa väns fötter för att han sa åt mig att göra det. Men mer än så, jag var här för att jag ville vara det. Jag ville lyda honom och att uttrycka det så öppet fick mig att känna mig mer naken än den enkla bristen på kläder kunde förklara.

Men nej. "Sårbar" innebär något slags upplevt hot, eller hur? Det var inte rätt. Jag kände mig helt säker, höll stadigt i kontroll. Det var nästan befriande att känna sig så sorglös. Det kändes bara väldigt... öppet. Som att mitt inre visades tillsammans med min kropp.

"Du är vacker," sa han till mig och tittade uppskattande ner över mig. Det slog mig plötsligt att knäböjen satte mig mycket närmare bulan i hans byxor. Den mycket distinkt kukformade utbuktningen precis under hans bältesspänne. Jag slickade mig om läpparna, hungrig efter det. Två fingrar under min haka lyfte min uppmärksamhet tillbaka till hans ansikte. "Njut av dig själv."

"Vad?"

"Du hörde mig."

Mina armar ryckte bakom mig. "Som... Onanera? Sir?"

"Verkligen."

Ja, allt jag sa tidigare om att känna mig naken? Glöm allt det där, DETTA är vad jag borde ha sparat de beskrivningarna till. Mina fingrar gled lättare mellan mina läppar än en skridskoåkare på en isbana. Den första långa, hårda glidningen över min klitoris verkade chockera mitt system, vilket tog mig från att känna mig retad till att vara full och redo att knulla! Jag trodde att jag skulle sperma på plats.

Han rörde sig från min haka för att smeka min kind och lekte försiktigt med några hårstrån.

"Du behöver mitt tillstånd innan du kan få orgasm, mitt husdjur." Jag stönade av njutning, de våta ljuden av mitt slickande fyllde rummet. "Du är min nu. Din sexualitet är min att leka med. Jag bestämmer när du kommer... om du kommer." Det är helt orättvist hur att få veta att jag inte har kontroll över mina egna orgasmer tänder mig så mycket och får mig att vilja komma NU! Jag kände hur det kokade inom mig, trycket, byggde upp behovet av befrielse. Det var för mycket, överväldigande, att knäböja med min fitta bred, jävla mig själv för hans infall.

Han tittade uppmärksamt, uppmärksammade mina fingrar noga, noterade hur jag gynnade min klitoris och gick till penetration när jag kände mig nära att komma. När jag började anpassa mig till vad som hände lade han till ytterligare en nivå.

"Fortsätt titta på mina ögon, titta inte ner." Varför skulle jag titta ner? Hans uttryck som tittade tillbaka på mig var vackert. Hans känslor som skrevs där fick mig att känna mig så speciell. Men hans lekfulla, medvetna leende var tillbaka. Det där jäkla leendet som alltid betydde att han visste något som jag inte visste.

Jag hörde en dragkedja. 'Herregud, är det? Gjorde han det bara? Utan att titta visste jag instinktivt att hans penis var fri och några centimeter ifrån mig. En blick nedåt och jag skulle äntligen se det. Richards kuk... hur många nätter hade jag somnat och drömt om att bli knullad av den? Hur många klasser hade jag dagdrömt genom att föreställa mig honom naken? Nu var den där! Men jag kunde inte titta på det. Det var så svårt att lyda, jag fortsatte ofrivilligt att sänka huvudet och behövde tvinga upp det igen.

Det blev förstås bara värre när jag insåg att han smekte sig. Värmen mellan benen gick i överväxel och jag knöt ihop fingrarna.

"Snälla", gnällde jag, "det är så svårt, snälla kan jag titta?"

"Jag njuter av att se dig kämpa. Att se dig välja lydnad framför ditt eget behov är väldigt hett. Du har det bra." Han lät stolt. Stolt över mig! Jag ville vara stark för honom, men mina hormoner var emot mig. Jag hade velat ha honom för illa för länge, det var tortyr att uthärda. Bara några centimeter bort och jag skulle känna hans hårda jämnhet... Jag saknade känslan från tidigare, friheten jag hade känt utan att behöva kämpa och fatta beslut.

Så istället för hans kuk famlade jag efter hans andra hand och tog upp den till mitt huvud. Han förstod utan några ord, tog tag i mitt hår precis bakom mitt huvud igen och höll mig stadigt på plats. Jag kände genast en börda lyfta av mig. Jag behövde inte polisa mig själv eller oroa mig för att kunna lyda längre. Jag nussade mjukt in i hans arm och njöt av känslan av hans varma hud mot min kind och den auktoritativa styrkan i hans grepp.

Jag kände mig kopplad till honom. Ett band verkade ha bildats mellan oss, starkare än det fysiska greppet han hade om mig. Som att ge honom min styrka och mina problem och att han var stark för mig hade fört oss närmare varandra. Det kändes väldigt intimt och väldigt, väldigt sexuellt. Jag tillbringade mer tid från min klitoris än på den för att undvika att välta. Jag vill cum. Varje cell i min kropp ville sperma! Men jag kunde också känna hur mycket mina ständiga reträtter bort från min klitoris, bort från cumming, tände Richard på. Jag skulle vara lydig för honom! Det var svårt, men jag fortsatte att kanta och jag fick min tillfredsställelse från hans snabbare andning och tapet av ansiktsnjutning.

Jag är inte säker på hur länge vi stannade och tittade intimt in i varandra. Tiden verkade typ amorf, som om vi existerade tillsammans i en bubbla där inget annat spelade någon roll. Det ena hjärtslaget till det andra, en cirkel över min bultande och överkänsliga klitoris och ett mjukt stön mot hans arm, som kretsar vidare i en slinga.

"Hur mår du?" han checkade in till slut.

"Lite överväldigad, sir. Men på ett bra sätt!"

"Bra. Dags att gå förbi förspelet." Jag flämtade när jag kände hur han styrde mitt huvud nedåt, "du får se hur mycket du vill nu. Om du inte är för nära, vill säga." Jag skulle direkt ner i hans knä!

Det är svårt att säga om han ledde min mun till sin kuk eller om han höll mig tillbaka från att kanonkula mitt huvud i hans gren. Det blixtrade knappt förbi min syn innan jag hade det uppslukat mellan mina läppar. Varje tum av hans manlighet som gick inom mig verkade fylla mig med yrsel, som om jag precis hade upptäckt den största leksaken genom tiderna. Jag var fast besluten att känna så mycket av det som möjligt, utforska varje minsta del av honom med min tunga. Hans smak sköljde över mig, kombinerat med hans doft och hans pulserande spänning, allt kom emot mig på en gång. Myskighet, mjuk hud som täcker stenhård lust, med en hint av saltsmakande precum. Sakta lättade jag tillbaka och svepte min tunga från sida till sida på hans undersida. 'Det borde vara här, precis under huvudet...' Han stönade hårt och länge när jag träffade den söta punkten.

Jag kände mig intensivt nöjd med att jag kunde få ut det där sexiga manljudet ur honom, precis förbi hans dominerande självkontroll, men jag hade lite tid att gratulera mig själv. Hans fasta grepp om mitt hår pressade ner mig igen, sakta djupare och djupare.

"Säg till när det är för mycket."

Jag älskar att ge avsugning. Jag älskar allt med oralsex, men djup hals har aldrig varit min starka sida. Det fanns fortfarande en dryg två centimeter kuk kvar förbi mina läppar när hans huvud träffade baksidan av min hals och hans vägledande hand slutade trycka framåt. Jag ville ha mer, jag försökte få mer, men min jäkla hals hade helt enkelt inget av det. Jag munkavle hårt och tvingades backa.

Han gav mig ingen tid att känna mig besviken. "Det kändes fantastiskt," strålade han ner mot mig, "den här gången ska du smaka på min sperma."

Han guidade mig in i en jämn rytm. Upp och ner, hans hand på mitt huvud, pausar vid varje uppåtslag för att låta mig slicka hans söta punkt innan jag tar ner mig igen. Det kändes verkligen som vägledning och inte våld. Som att det var jag som gav honom en avsugning snarare än att han tog en avsugning från mig, om det är vettigt. Han visade mig helt enkelt hur han gillade det bäst. Ändå fick upplevelsen mig att känna mig djupt undergiven. Knäböjande framför honom som om han var min kung, dyrkade honom samtidigt som jag ignorerade hur mycket blötare detta gjorde min redan bultande fitta.

Jag var i himlen. Jag nynnade lågt i halsen för att vibrera hans kuk, vilket gav mig ännu ett glädjande stön av njutning från honom. Jag sög honom hårt och slarvigt och höll min tunga konstant att arbeta runt och runt när hans njutning steg. Stadiga strömmar av sälta åtföljde snabbare käkfyllning när jag sög honom. Jag gjorde mitt bästa för att behålla ögonkontakt, titta upp och försöka kommunicera med mitt uttryck hur mycket jag älskade hans kuk samtidigt som jag höll mitt fokus inåt. Det var verkligen mycket jobb! Upptill—slicka snabbt under hans huvud. Skjut ner—kör min tunga över hela hans skaft. Nere vid basen—nynna djupt, le utan att släppa tätningen. Skjut tillbaka upp - sug så hårt jag kunde för att ge hans huvud tryck. Om och om igen medan han guidade mig upp och ner, och sakta påskyndade mig när han kom närmare. Jag kom på mig själv med att önska att det fanns någon form av käkmaskin på gymmet. Min tunga brände och jag fick ont om luft.

Nöjden, mer och mer okontrollerad, flödade fritt över ansiktet tills han till slut höll mig stadigt och krampade mig kraftigt. Strömmar av het sperma fyllde mig, täckte baksidan av min hals och inuti mina kinder medan jag frenetiskt försökte svälja och fortsätta att slicka honom samtidigt. Det verkade som en oändlig ström, spruta efter spruta raket ut från honom, snabbt överväldigande mina ansträngningar att hålla jämna steg. Jag höll på att spilla en del när han äntligen saktade ner och med ett tungt stön lutade han sig bakåt och ut ur mig.

Jag njöt av resten av hans sperma i min mun. Jag gillar inte riktigt smaken och konsistensen av spermier. Låt oss inse det, vem gör det? Men att känna det där, se det nöjda leendet i ansiktet och komma ihåg känslan av att han darrade och pulsade när han hade gett mig den... det kändes som en trofé. Jag hade fått honom att känna sig så fantastisk! Min kropp hade tänt honom så mycket att han hade behövt suga sin kuk, och han gillade mitt huvud så mycket att han hade svämmat över min mun med jizz . Det fick mig att lysa av stolthet.

Samtidigt växte en liten skugga av besvikelse i bakhuvudet, kopplad direkt till min droppande och sorgset tomma fitta. Med Richard tillbringad, skulle jag inte bli knullad ikväll. Jag försökte intala mig själv att det var dumt och girigt av mig att känna mig sviken av det. Jag skulle tänka på hans behov före mina egna. Det här var vad jag hade anmält mig till. Ja, vad jag praktiskt taget hade bett honom om. Jag visste det, men ändå, efter att ha delat en så intimt erotisk upplevelse med honom, tror jag aldrig att jag någonsin känt mig så kåt i mitt liv. Jag ville sperma, fan! Det var jävligt svårt att förlika sig med att släppa det.

"Du är ganska bra på det," Richard hade återhämtat sig och sträckte ut en hand till mig, "kom, dina knän måste döda dig." Det var de, även om jag inte hade märkt det förrän då. Jag hade blivit för distraherad av för många andra saker.

Men innan jag kunde sträcka ut mig ordentligt, fann jag mig själv helt upplyft från marken draperad i Richards armar. "Du har gjort mig väldigt glad idag", viskade han i mitt öra, "du förtjänar en belöning." Mitt hjärta hoppade över ett slag när han bar mig den korta biten till min säng. Tyngdlös i hans famn kände jag mig hypnotiserad av hans bottenlösa ögon så nära. Det var verkligen inte rättvist, hur han kunde vända en strömbrytare och överväldiga mina känslor så här.

Han lade ut mig med kuddar som bekvämt stödde mitt huvud. Återigen ovanför mig lekte han sakta med mitt hår mellan fingrarna. Trots att han fortfarande var naken och att han fortfarande var fullt påklädd kände jag mig inte riktigt så bar . Kändes det mer... intimt? Bekväm? Naturlig? jag vet inte. Jag hade svårt att tänka rakt, min värld krympte till små punkter. Fläckarna i mitt ansikte där hans fingrar borstade mig, känslan när han lekte med min lugg, fläcken på min hals där han kysste mig, siden under mina händer där jag gnuggade hans bröst, och det ständigt närvarande behovet inom mig som blev mer brådskande för varje minut.

Hans fingrar spårade ner på min kropp när han placerade sig bekvämt mellan mina ben. Jag gjorde en dubbeltagning. Mellan mina ben! Han var inställd som om han skulle äta upp mig!

Han skrattade och jag kunde känna hans andetag på mina övre lår, "Förvånad?"

"Ehm, ja, sir." Han gnuggade mina lår, spred sakta mina ben så brett de kunde gå och skickade glädjebultar direkt till min kärna. "Det är inte - *stön* - vad jag förväntade mig."

"Folk verkar tro att cunilingus inte är manlig eller dominant. Ingenting kunde vara längre från sanningen. Om du var en marionett, skulle dina strängar vara här. Med en lätt knuff—" tryckte han ett finger direkt mellan mina läppar, dra upp den genom min slits och direkt över min klitoris. Hela min kropp hoppade som om jag hade blivit träffad av blixten och jag lät ut ett rop av överraskning och njutning "—Jag kan få ut de mest bedårande reaktionerna ur dig. Det finns väldigt få positioner där jag kan utöva någon mer direkt kontroll över din kropp ."

Han hade rätt. Jag vred mig och stönade medan han spelade på mig som ett musikinstrument. Retar mina läppar med långa borstar genom mitt könshår för att få mig att rysa och stöta mina höfter. Smekade mina lår med försiktiga klämningar precis under min fitta för att få mig att darra och bulta. Får mig att gnälla och kröka ryggen med en snabb hackkyss direkt på min klitoris. Han arbetade in dem med långa, långsamma slickningar hela vägen upp och genom mig, och täckte varje tum av min känsliga fitta med sin tunga.

Han var som en forskare som kartlade hur jag reagerade på stimulans, testade och experimenterade med olika trycknivåer och kombinationer. Det höll mig att gissa och min orgasmnivå steg upp och ner som en EKG-maskin. Varje stadigt tryck på min klitoris förde mig till kanten på några sekunder och ställde honom i kö för att backa sitt retande. Det gjorde mig galen! Jag brann av nöd, långt förbi koherensen. Det kändes så bra. Allt med berg-och-dalbanan av stimulans kändes så fantastiskt bra, jag ville inte att det skulle sluta. Jag ville explodera. Att spamma ut mina hjärnor genom min fitta i hela hans ansikte. Men jag ville också att det här skulle fortsätta för alltid. Jag ville aldrig att nöjet skulle ta slut.

Richard såg förtjust ut mellan mina ben och tittade noga på mig efter mina reaktioner. Alltid så varm och uppmärksam mot mig... även om han använde den uppmärksamheten för att reta mig, fick det mig att känna mig speciell. Efterlyst. Älskade.

På en gång kände jag mig fylld. Hett fast kött med minst två fingrar körde upp i min fitta och sargade direkt mot min g-punkt. Jag har aldrig kommit från penetration tidigare, men jag trodde verkligen att jag skulle göra det. Utan att inse det satte jag lägenhetens ljudisolering på seriöst arbete och slet lakan från sängen. Jag stötte hårt upp för att möta hans fingrar, och ville känna dem så djupt inom mig som möjligt - och ville dra in så mycket av honom i mig själv som jag kunde. Han tryckte ner mig bestämt och övermannade mig lätt med sin styrka.

Richard mötte mina ögon och sänkte sakta, medvetet, munnen. "Cum så mycket och så hårt du kan," sa han till mig direkt mellan mina ben. Sedan sögs min klitoris hårt in i hans mun. Han sög mig djupt och slickade mig hårt, varje liten bula på hans tunga skickade en vibration av njutning direkt till min kärna. Jag höll inte ut mer än tre sekunder. Jag kom. Hård. Det var som att en bomb exploderade djupt inom mig och exploderade om och om igen för varje sammandragning. Vågor av ren extas sprider sig genom mig och fyller varje tum av mig från mina tår till min hjärna till djupt i mitt sinne.

Jag kom och kom och kom, klämde fast så hårt på hans fortfarande stötande fingrar att jag trodde att jag kunde känna hans fingeravtryck. Min klitoris bultade så hårt in i hans mun att jag trodde att han sväljer den. Han slutade aldrig hamra och tvingade fram ytterligare en orgasm i hälarna på den första. Jag kände hur jag smälte, mitt sinne blev lite suddigt och min syn suddig runt kanterna.

Långsamt, med flera efterskalv och återfall, brände skogsbranden ut sig själv. Allt verkade lite dimmigt när jag kom tillbaka till mig själv, nästan som om jag hade tagit några shots starksprit. Jag insåg att jag nästan hade krossat Richards huvud mellan mina lår. Jag hade inte ens insett att jag hade stängt dem! Dessutom kan jag ha fått lite blåmärken på mina bröst. Återigen, insåg inte ens att jag hade klämt dem.

"Wow... det var jävligt häftigt."

DEL 5

En kort tid senare skedade vi ihop under täcket. Den stadiga rytmen i hans andning när han sov var lugnande, vilket gjorde mig dåsig men ville fortfarande inte sova.

Vi hade pratat om allt som hade hänt och pressade varandra för detaljer om hur den andre hade känt sig. Jag var särskilt intresserad av att höra hur kraftfull Richard hade känt sig när han regisserade min långsamma remsa. Tydligen var beröring en kraftfull form av kontroll, och att ha fritt spelrum att röra vid mig medan jag höll tillbaka mig gjorde Dom/sub-dynamiken mer verklig. Det var väldigt intressant att höra hans perspektiv, men ännu mer så var det härligt att dela säng med honom.

Han hade äntligen tagit av sig kostymen! Hans bara bröst tryckte in i min rygg och hans bara ben flätade ihop sig med mina. Jag har alltid varit helt sugen på gos. Hud vid hudkontakt gör kraftfulla saker med mina känslor.

Till slut kände jag mig mätt och kände att jag borde vara mer analytisk. Hade jag verkligen gjort alla dessa saker? Det hade känts så lätt att glida in i rollen, så naturligt att följa med strömmen. En röst i bakhuvudet upprepade Cathys ord om lydnad. Vad kan jag hitta på mig själv att göra? Det kanske borde ha oroat mig då, men det gjorde det inte. Jag kände mig för bra för att oroa mig för någonting.

Jag somnade med Richards hand hårt mot mitt bröst. 'Mina!'

SLUTET

Milton Keynes UK
Ingram Content Group UK Ltd.
UKHW011406081223
434028UK00001B/70

9 798215 889688